חולים וקטנים בפסח

תרופות ומשחות,
מאושפזים ומטפליהם

הרב יהודה פינצ'ס

חולים וקטנים בפסח

Rabbi Yehuda Finchas
הרב יהודה פינצ'ס

עריכה : הרב יוסף בן ארזה

ISBN: 978-1-958542-59-0

Published by Shikey Press

Cambridge, MA

www.ShikeyPress.com
info@ShikeyPress.com
Twitter @ShikeyPress

questions@torathabayit.com

Dedicated and in
Appreciation of

Mrs Helen French

**Gary & Angela
Bull and Family**

לע״נ אשר בן צבי העניך ז״ל
ת.נ.צ.ב.ה.

לע״נ דניאלה בת תירצה ע״ה
ת.נ.צ.ב.ה.

May Hashem grant them continued happiness, health and success for many years to come.

Dedicated and in
Appreciation of

Mr & Mrs Shlomi Bistritsky and Family

May Hashem grant them continued strength, health and nachat for many years to come.

תוכן ענינים

חולה במצוות הפסח

מבוא

מדי שנה לקראת חג הפסח יש עלייה במספר הבעיות הרפואיות המגיעות אלינו, כתוצאה מאנשים המסרבים ליטול את התרופות שלהם בימי הפסח מחשש תערובת חמץ בתרופות. בנוסף, הרבה שואלים אם יש חשש חמץ במזון לתינוקות, בפרט מזון לתינוקות בעלי רגישויות ובעיות עיכול, שאינם יכולים להשתמש במזון תינוקות רגיל, ועל פי פקודת רופא חייבים מזון מיוחד שאין לו השגחה לפסח.

ליל הסדר עלול להקשות על חולים בעלי קשיים ובעיות רפואיות, כגון רגישות לגלוטן, חולי צליאק וסכרת או חולים המאושפזים בבית חולים שמצבם לא מאפשר להם לקיים את מצוות הסדר כרגיל.

הקונטרס הזה בא לתת מענה לשאלות אלו ועוד, והוא ידון בשלושה נושאים מרכזיים:

- חולה או תינוק החייב לאכול חמץ או ליטול תרופה שיש בה חשש תערובת חמץ.

- שימוש או בעלות על תרופות, משחות או מזון תינוקות, אשר יש בהם חמץ או חשש חמץ.

- מצוות ליל הסדר לחולה, למלווה את החולה או לאיש רפואה השוהה בבית החולים בליל הסדר.

תרופות ומזון תינוקות בפסח

א. איסורי החמץ

מן התורה אסור לאכול, ליהנות או להיות בעלים או נושא באחריות על חמץ בפסח. האוכל כזית חמץ בפסח במזיד חייב כרת, שנאמר: ״כי כל אוכל חמץ ונכרתה וגו׳״; החמץ בפסח אסור בהנאה שנאמר: ״לא יֵאכל חמץ״ – לא יהא בו היתר אכילה; והמניח חמץ ברשותו בפסח, אף על פי שלא אכלו עובר בשני לאווין, שנאמר: ״לא יראה לך שאור בכל גבולך״ ונאמר: ״שאור לא ימצא בבתיכם״ (רמב״ם ריש הלכות חמץ ומצה).

גם חצי שיעור של חמץ אסור מהתורה וחייבים לבערו לפני הפסח או למוכרו לגוי. על כן במקום שאין נשקפת סכנה לאדם, אסור לו לאכול אפילו משהו חמץ (שער הציון תסו אות ו).

ב. חמץ שאינו ראוי לאכילה, לעניין שהייה הנאה ואכילה

מאכל שאינו ראוי לאכילת אדם, אין שם ׳אוכל׳ עליו. כך דרשו בגמרא (עבודה זרה סז ע״ב) מהפסוק ״לא תאכלו כל נבלה לגר אשר בשעריך תתנה ואכלה״ – הראויה לגר קרויה ׳נבלה׳, שאין ראויה לגר אינה קרויה ׳נבלה׳.

אולם החמץ שונה, שכל עוד שהוא ראוי לאכילת כלב לא פקע ממנו איסורו גם אם אינו ראוי לאדם, כגון שנחרך או התעפש קצת (ע׳ פסחים כא ע״ב ותוספות שם ושם בגמרא מה ובראשונים). וכן נפסק בשולחן ערוך (תמב, ב ט) שרק פת שעיפשה עד שנפסלה מאכילת כלב [קודם זמן איסורה] מותר לקיימה בפסח, וכן מותר ליהנות ממנה. וטעם הדבר שהחמץ שונה משאר איסורים, שאין די במה שנפסל מאכילת אדם, הוא מפני שראוי לחמץ בו עיסות אחרות (ע׳ משנ״ב שם סק״י ובאה״ל סעיף ט ד״ה עד בשם הר״ן). ואמנם אם אין ראוי לחמץ בו עיסות אחרות והוא נפסל מאכילת אדם, אין צריך לבער ומותר בהנאה (חזון איש קטז, ח ט).

על אף האמור, עדיין קיים איסור דרבנן לאכול חמץ שנפסל מאכילת כלב משום סברת "אחשביה", כלומר האדם באכילתו מחשיב את הדבר כמו אוכל הראוי, כמו שכתב הרא"ש (פסחים פ"ב א): אמר רבא חרכו קודם זמנו מותר בהנאתו אף לאחר זמנו, וכגון שנפסל מלאכול לכלב דומיא דפת שעיפשה. יש שרוצים לומר לאו דוקא הנאה דהוא הדין נמי אכילה דעפרא בעלמא הוא. ולא מסתבר, דאף על פי דבטלה דעת האוכל אצל כל אדם מכל מקום כיון דאיהו קאכיל ליה אסור. וכן מובא בפוסקים (משנ"ב תמב סק"ג).

ג. חמץ נוקשה

חמץ נוקשה הוא חמץ שאיננו גמור וכדלהלן, ונחלקו תנאים (בפסחים מג) אם הוא אסור באכילה מהתורה או מדרבנן [ולכל הדעות אין בו עונש כרת באכילתו כחמץ גמור], וכן נחלקו הראשונים לעניין לאו דבל יראה ובל ימצא. להלכה קיימא לן שהחמץ הנוקשה אינו אסור אלא מדרבנן (מגן אברהם ר"ס תמב וסוס"י תמז). וכגון דבק הנעשה מקמח ומים שהסופרים היו מדבקים בו ניירותיהם; עיסה שלא נמצא בה עדיין שום סדק רק הכסיפו פניה; וכן חמץ שאינו ראוי מעיקרו לאכילה רק קצת (משנ"ב תמב סק"ב).

ד. דין החולה והכאוב

יש להבחין בין שלושה סוגי חולים או כואבים: חולה שיש בו סכנה, חולה שאין בו סכנה, מי שיש לו מיחוש בעלמא.

חולה שיש בו סכנה. נאמר בתורה (ויקרא יח ה): וּשְׁמַרְתֶּם אֶת חֻקֹּתַי וְאֶת מִשְׁפָּטַי אֲשֶׁר יַעֲשֶׂה אֹתָם הָאָדָם וָחַי בָּהֶם אֲנִי ה' (ויקרא יח ה). ואמרו רבותינו ז"ל, מנין לפיקוח נפש שדוחה את השבת... 'וחי בהם' – ולא שימות בהם (יומא פה). ופרש"י (שם ע"ב ד"ה דשמואל) אשר יעשה אדם את המצות שיחיה בהם ודאי ולא שיבא בעשייתן לידי ספק מיתה, אלמא מחללין על הספק. וכן אמרו בגמרא (פסחים כה ע"א) בכל מתרפאין, חוץ מעבודה זרה וגילוי עריות. ופסק הרמב"ם (שבת ב ג): "ואסור להתמהמה בחילול שבת לחולה שיש בו סכנה שנאמר (ויקרא יח ה) אשר יעשה אותם האדם וחי בהם ולא שימות בהם, הא למדת שאין משפטי התורה נקמה בעולם אלא רחמים וחסד ושלום בעולם".

על כן גם פשוט שאכילה ושתייה גמורה של חמץ מותרת ומחויבת לרפואה למי שיש בו סכנה, בין בפיקוח נפש ודאי בין בספק פיקוח נפש (ע' או"ח תסו ושערי תשובה שם א ומשנ"ב סק"ב. וע' בקונטרסנו "החייבים והפטורים בתענית יום הכיפורים" עמ' ד' שגם פיקוח נפש עתידי נחשב לפיקוח נפש).

על כן, כל הסובל מבעיה רפואית קשה, כגון חולי לב, כבד, כליות ושאר אברים פנימיים, לחץ דם, סכרת וכו' או הסובלים מבעיות נפשיות, אסור להם להפסיק את לקיחת התרופות ללא אישור מהרופא. [וזאת גם ללא הזדקקות לטעם של חמץ שנפסל].

במידת הצורך, מותר לקנות בפסח חמץ לחולה שיש בו סכנה שהוא צריך לחמץ, ולהביא את החמץ הביתה ככל צורכו, ואין צריך לקנות מעט מעט בכל פעם, כיוון שיש להזדרז באכילת החולה ואין להתעכב (עפ"י שו"ע הרב תנ כו). ואולם אם ניתן למנוע לאוין דבל יראה ובל ימצא בלא דיחוי ואיחור, יש למכור את החמץ לגוי או להפקירו מלפני הפסח (ע' משנ"ב תסו ע"ב. וע"ע להלן 'בל יראה ובל ימצא בתרופות').

חולה שאין בו סכנה, כגון החולה בשפעת, מיגרנה או דלקת פרקים, אסור לו לאכול חמץ אבל מותר לו ליטול תרופות שאין בהן טעם טוב, וכדלהלן. בכלל זה גם ספק חולה שאין בו סכנה (מנחת שלמה תנינא ח"ב ס אות טו).

וכן מי שאיננו חולה כעת, אבל ברור שאם לא ייטול התרופה יחלה, הרי זה בכלל חולה שאין בו סכנה, ובוודאי אין צריך להמתין עד שיחלה בפועל (מנחת שלמה תניינא ח"ב ס אות טז).

מיחוש בעלמא. מי שיש בו כאב שינים, כאב ראש או צינון, אבל לא נפל למשכב ואינו חולה בכל גופו, יש לו להקפיד שלא ייטול תרופה שיש בה חשש לתערובת חמץ, אבל אין לחוש לקטניות, אף לא למנהג בני אשכנז הנמנעים מאכילת קטניות בפסח. אכן קפסולות, פתילות, חומרי הזרקה ומשחות, אין בהם בדרך כלל משום איסור חמץ. ומכל מקום רצוי שמורה הוראה ידון בכל מקרה לעצמו (עפ"י שמירת שבת כהלכתה מ,פח-צ, אור לציון ח"ג ח,ב, יחוה דעת חלק ב סימן ס ובחזון עובדיה פסח ח"א עמ' קכ. וע' שו"ת כתב סופר או"ח קיא. אך ע' מנחת שלמה ח"א סוס"י יז שהסתפק מהו הגדר של חולה לעניין חמץ בפסח ושאר איסורים, שמא לא דמי לגדר חולה בשבת ואף אם לא נפל למשכב מותר. ולא הכריע).

ה. רכיבי התרופות

תרופות עשויות להכיל מרכיבים לא כשרים, כמו ג'לטין, גליצרין וסוגים
שונים של סטראטים. לעניין חמץ, תרופות עלולות להכיל עמילן דגן, עמילן,
דקסטרטים, דקסטרין וצבעי קרמל אשר יש בהם חשש חמץ. חשוב לדעת
כי גם אם התרופה נטולת גלוטן אין זה אומר שהיא לא מכילה חמץ, שכן
החמץ יכול להיות ללא גלוטן, וכגון אלכוהול המופק מחיטה או שעורה,
שאינו מכיל חלבון (גלוטן) כתוצאה מהליך הטיהור (מה שהופך אותו אכיל
לחולי צליאק), ועדיין הוא חמץ.

השאלות העיקריות אפוא שצריך להתייחס אליהן הן: האם התרופה
מכילה חמץ? האם יש לתרופה טעם או חסרת טעם? האם יש לתרופה
חלופה שאינה מכילה חמץ? וכמובן באיזו קטגוריה של חולה מדובר. כאשר
מדובר בחולה שיש בו סכנה פשוט שמותר אפילו אם לא נפסלה מאכילת
כלב כאמור, מה שאין כן בחולה שאין בו סכנה.

ו. שלא כדרך אכילה; בליעת תרופות

החולה שאין בו סכנה, מותר בתרופה שיש בה חמץ רק אם משתמש בה
שלא כדרך הנאה. יסוד הדבר הוא בגמרא בפסחים (כה ע"ב): מר בר רב
אשי אשכחיה לרבינא דשייף לה לברתיה בגוהרקי דערלה, אמר ליה: אימור
דאמור רבנן בשעת הסכנה, שלא בשעת הסכנה מי אמור? אמר ליה: האי
אישתא צמירתא נמי כשעת הסכנה דמיא. איכא דאמרי, אמר ליה: מידי
דרך הנאה קא עבידנא. וכתב הרמב"ם (הל' יסודי התורה פ"ה ה"ח): במה
דברים אמורים שאין מתרפאין בשאר איסורים אלא במקום סכנה, בזמן
שהן דרך הנאתן, כגון שמאכילין את החולה שקצים ורמשים או חמץ בפסח
או שמאכילין אותו ביוה"כ, אבל שלא דרך הנאתן, כגון שעושין לו רטייה או
מלוגמא מחמץ או מערלה או שמשקין אותו דברים שיש בהן מר מעורב עם
איסורי מאכל שהרי אין בהן הנאה לחיך, הרי זה מותר ואפילו שלא במקום
סכנה, חוץ מכלאי הכרם ובשר בחלב שהן אסורים אפילו שלא דרך הנאתן,
לפיכך אין מתרפאין מהן אפילו שלא דרך הנאתן אלא במקום סכנה.

ובשו"ע (יורה דעה קנה ג): בשאר איסורים מתרפאים במקום סכנה
אפילו דרך הנאתן. ושלא במקום סכנה, כדרך הנאתן אסור, שלא כדרך
הנאתן מותר. הגה: י"א דכל איסורי הנאה מדרבנן מותר להתרפאות בהן
אפילו חולה שאין בו סכנה. ואפילו יין נסך בזמן הזה, מותר להתרפאות

בו ולעשות ממנו מרחץ אף על פי שהוא כדרך הנאתן, ובלבד שלא יאכל וישתה האיסור, הואיל ואין בו סכנה וכו'. מותר לשרוף שרץ או שאר דבר איסור ולאכלו לרפואה, אפילו חולה שאין בו סכנה, חוץ מבעצי עבודת כוכבים. וכל חולה שמאכילין לו איסור צריכים שתהא הרפואה ידועה או על פי מומחה. ואין מתירין שום דבר איסור לחולה אם יוכל לעשות הרפואה בהיתר כמו באיסור, אף על פי שצריך לשהות קצת קודם שימצא ההיתר, מאחר שאין סכנה בדבר.

והנה בליעת מזון בלא לעיסה, הסכמת האחרונים [דלא כהתורת חיים] שאינה נחשבת 'שלא כדרך אכילה', וכפי שכתב הנודע ביהודה (קמא יו"ד לה. וע' גם פ"ת יו"ד קנה סק"ו). ואולם הגרשז"א (במנחת שלמה ח"א יז) הסביר שבליעת גלולות לצורך רפואה שונה מבליעת מאכל רגיל, וז"ל: "אך אעפי"כ נראה דדוקא באוכל גמור שרגילים ללעוס ולאכול, רק אז אמרינן שגם בליעה חשיב כדרך אכילה, משא"כ בדבר דלא חזי כלל לאכילה ועומד רק לבלוע וגם רק לחולים, כמו גלולות דנדון דידן, שפיר חשיב לכו"ע שלא כדרך אכילה ושרי לחולה שאין בו סכנה, שהרי גם מלוגמא ורטיה על מכתו לאחר שכבר נעשו הרי הם עומדים לכך ואפי"ה שרי...". אמנם ברור שבגלולות למציצה אין קיים ההיתר 'שלא כדרך'.

ז. 'אחשביה' בתרופות שאין בהן טעם

הוזכר לעיל שגם חמץ שנפסל מאכילת כלב אסור לאוכלו בפסח מדרבנן משום 'אחשביה'. ונחלקו הפוסקים אם אמרינן 'אחשביה' גם כשנאכל המאכל לרפואה (ע' שאגת אריה עה ואחיעזר ח"ג לא, דאמרינן אחשביה גם במאכל לרפואה, אולם בשו"ת כתב סופר או"ח קיא סובר דלא אמרינן אחשביה לרפואה). ולענין תרופות הקילו כמה מפוסקי זמנינו, אם משום שאין 'אחשביה' ברפואה או כאשר דעתו של הלוקח על הסמים המרפאים ולא על החומרים הנלווים, אם משום שלחולה התירו. הנה כמה ציטוטים מדבריהם:

"טבלאות רפואה שמעורב בהן קמח... ואם הן מעורבין בדברים שאינן ראויין לאכילת אדם אין בהם משום חמץ, כדין חמץ שנפסל מאכילת אדם, כיון שאי אפשר להפריד הקמח וגם אינו ראוי לחמע בו, ומותר לבולען בפסח לרפואה. ואף למאי דמשמע מהאחרונים ז"ל דלאכול

לכתחילה אסור אפילו חמץ שנפסל מאכילת הכלב, מכל מקום על ידי תערובות שאר דברים מותר, דלא שייך אחשביה, דדעתו על הסמים [ואמנם לקמן סי' קי"ז סק"ה מבואר דכל שמערב בידים ע"מ לאכול החמץ בפסח אף שנפסל קדם הפסח אסור]. ואם לא נפסלו מאכילת אדם אסורים באכילה וחייבין לבער" (חזון איש או"ח קטז סוף אות ח).

"ובדבר הרפואה שאתה צריך ליקח גם בפסח ואתה חושש אולי יש שם איזה חשש חמץ, הנה מכיון שהוא לרפאות הניתוח שעשו באבר פנימי פשוט שצריך ליקח אף אם היה ודאי חמץ, ובעצם אף בלא סכנה אין חשש, דכבר נבטל קודם הפסח משם אוכל, ואחשביה לא שייך בדבר שלוקח לרפואה, דאף דברים מרים ומאוסים נוטלין לרפואה. ולכן אין לך מה לחשוש ותקח הרפואה כפי שאמר לך הרופא והשי"ת יתן שיהיה זה לרפואה" (אגרות משה או"ח ח"ב צב).

"ואמנם תרופות הפסולות מאכילת כלב אין בהן איסור חמץ, כמבואר בשו"ע בסימן תמ"ב סעיף ט', מכל מקום אין לאכול חמץ אף שנפסל מאכילת כלב, ומשום שלדעת הרא"ש אמרינן מדאכליה אחשביה, וכמבואר בטור שם. וכן הסכימו האחרונים שם. ולחולה שאין בו סכנה אין לאסור מטעם מדאכליה אחשביה, שכן אין דין זה אלא מדרבנן, וכמ"ש בט"ז שם ס"ק ח', ע"ש, ולא נאסר לחולה שאין בו סכנה. אבל בריא לא יאכל תרופות אלו" (אור לציון ח"ג פ"ח ב בהערות).

"מותר לחולה שאין בו סכנה להשתמש בטבליות וגלולות, אף על פי שיש לחשוש בהן לתערובת חמץ, ובלבד שלא יהיה בהן הנאה לחיך. וכל זה בחולה שחלה כל גופו, אבל אם הוא מיחוש בעלמא, אין להתיר" (יחוה דעת ח"ב ס).

כל שאין בתרופה טעם מותר לבולעה בפסח גם אם התרופה איננה מרה: בשנת תש"ל שאלתי את מו"ר על רפואה שטעמה היה כגיר או סיד ואמר לי מו"ר בשם מרן החזו"א זצוק"ל שכל תרופה שטעמה כעפר בעלמא הוי

כנפסלה מאכילת כלב, ואף שאינה מרה רק אין לה טעם והיא כעפר בעלמא ומותר לקחתה בפסח (ארחות רבנו ח"ב עמ' 61 אות כג. אך ע' מנחת שלמה ח"א עמ' יז שחכך שאפילו תרופות שטעמן מר קצת לא יצאו מכלל הראויות לאדם וצריך לבדוק היטב בכל סוג לדעת אם זה נחשב כעירב בו דברים מרים, אלא שלדבריו שם יש להקל מצד אחר – שבליעת תרופות נחשבת כשלא כדרך וכנ"ל).

על אף האמור, בשו"ת באחיעזר (ח"ג לא) הביא דברי השאג"א (עה) שאפילו ברפואה שייך אחשביה ואסור, והסיק שם שבאוכלים שנפסלו מאכילה וכרכו בסיב גם השאג"א מודה שמותר, דלא שייך בזה אחשביה כיון שאינו אוכל האיסור בעצמו רק על ידי סיב. עי"ש. ומי שרוצה להחמיר כאחיעזר יכול להשתמש בקפסולה מיוחדת לכך, והיא בטוחה יותר מבחינה בריאותית מכריכה בסיב או בנייר.

ומכל מקום אין לטחון תרופות מבלי להתייעץ עם הרוקח. חלק מהתרופות מבוססות על שחרור איטי של החומר, וריסוקם עלול לגרום למינון יתר.

ח. צירופים נוספים

סיבות נוספות שאפשר לצרפן להקל בבליעת תרופות בפסח:

א. לרוב מדובר רק בספק אם יש בו חמץ, והרי גם אם יש בו רכיב מחמץ לרוב זה נפסל מאכילת כלב, ואין כאן איסור דאורייתא כאמור.

ב. אם החמץ בטל בששים, כגון בתרופות הומאופתיות. כך כתב בשו"ת שבט הלוי (ח"ה נה) לגבי תרופות הומאופתיות: "בעצם כשרות הרפואות הנ"ל קשה להכניס עצמי כיון שלפי דבר מעלת כב' אין פרטים מדויקים ע"ז, אבל לפי מה שהתבוננתי קצת קרוב שאנו יוצאים מגדר איסור תורה ובפרט אם נעשו דלולים רבים כל כך עד שנתמעט האיסור עד משהו שבמשהו, ובחמץ אם נימא דהאלכוהול שעושים בו הדלולים אינו חמץ כלל, עכ"פ בחולה שיב"ס אפשר לסמוך להקל, ובפרט אם נתברר שהתרופות קנו נסיון אמיתי כדברינו של מעלה, ובפרט אם התרופות ניתנות בתערובת עם שאר דברים שלא היה עליהם חשש כלל, ובארתי במקום אחר כי במקום חולה אפשר לסמוך אשאלתות ודעמי' דחב"פ בששים, ומצאתי לאחר זמן רב שכבר העירו בזה. ובחולה שאין בו סכנה במקום דאיכא ודאי ששים אפשר

להקל לכתחלה, מלבד בחמץ בפסח אם איכא ודאי מעמיד של חמץ גמור". אמנם נראה לכאורה שבתרופות רגילות (לא הומאפתיה) אין ביטול, שהרי את הקמח מערבים בדווקא כדי לתת טעם או להעמיד או לסיבה אחרת כלשהי הנצרכת לתרופה, וע"כ אין בטל בששים. ולא דמי לדילול התרופה שדיבר עליה השה"ל.

ג. מדובר בחצי שיעור. "... וכל שכן כשסגי לי' בחצי שיעור הגם שהוא איסור דאורייתא מ"מ קילא איסורי' טובא, ועוד י"ל הגם שלא שלא כדרך הנאה ואכילתו אסור מדרבנן, דוקא בשיעור שלם, אבל בחצי שיעור דכל עיקר איסורו משום חזי לצרופי, וכיון שאוכל שלא כדרך הנאה דלא חזי לצרופי כשאוכל הרבה לא יהיה איסור תורה, הגם דגם באיסור דרבנן חצי שיעור אסור. ועיי' הגהות אשרי חולין (פרק גיד הנשה) גבי האי פלגא דזיתא, הוא משום לא פלוג בין דאורייתא לדרבנן, אבל חצי שיעור שלא כדרך הנאה דליכא בשום אופן למגזר אטו איסור דאורייתא כולי האי לא אסרו חצי שיעור (כתב סופר או"ח קיא, מובא להלכה בציץ אליעזר ח"י כה פ"כ, וכ"כ בתשובות והנהגות ח"א רצו, וע' בשו"ת יחווה דעת ח"ב ס' ס).

ד. אם מדובר בחמץ נוקשה למאי דקיי"ל שזה איסור מדרבנן, יש צדדים להקל בתרופות. ע' חזו"א (קטז ח): "טבלאות רפואה שמעורב בהן קמח, אם אין מעורב בהן מים רק מי פירות אין בהם משום חמץ, ואם מעורב בהן מים יש בהן משום חמץ נוקשה, ואם הן מתיבשות יובש גמור קודם שנתחמצו אפשר שאינו חמץ". ועיין בשו"ת זרע אמת (ח"ב מח) שמותר לבלוע תרופה העטופה בחמץ נוקשה אם אין בו טעם טוב.

חשוב לציין שאף שיש מחמירים משום חומרת פסח, בכל זאת אין להפסיק את התרופות ללא אישור רפואי. ובציץ אליעזר (ח"י כה פ"כ) כתב: "אבל כאמור ובהיות כן בתרופות וכמוסות כאלה שמעורבין בדברים שאינן ראוין לאכילת אדם כנ"ל בחזו"א, יש שפיר להתיר לבולען בפסח לרפואה וכנ"ל, ורק משום ישראל קדושים הם יש לחזר לכתחילה אחרי כל הדרכים שלא יהא בהם כל תערובות חמץ שהן. ובקובץ תשובות לגריש"א (ח"א עג ב) כתב: "לפי דברי החזו"א יש להתיר טבלאות שיש בהם עמילן אם הוא נפסל מאכילת אדם. ויעוין בשו"ת ערוגות הבשם סימן צ"ט שדעתו להחמיר משום חומרא דפסח". ובחזו"ע (עמ' קכ): "ומה טוב שחולה שאין בו סכנה יבקש מהרופא תרופה שאין בה חשש חמץ".

ט. תרופות עם טעם טוב

גלולות לעיסה ומציצה ותרופות נוזליות בטעמים שונים, עשויות להיות מחמץ ואינם נפסלים מאכילת כלב. לכן יש להשתמש בתחליף שאיננו חמץ או בגלולה ללא טעם. אבל חולה שיש בו סכנה רשאי ליטול אותן אם אין תחליפים זמינים.

אמנם אם הציפוי המתוק כשר לפסח יש להקל: "תרופות בזמננו בדרך כלל אין זו דרך אכילתם, ומה שממתיקים את האיסור על ידי סוכר (שכשר לפסח) לאו כלום הוא, כי על פי רוב כבר נפסל אפילו מאכילת כלב ומותר גם בפסח. ובכה"ג שכמות החמץ מעטה מאוד ומעורבת עם דברים מרים, אלא שגם ממתיקים אותם בסוכר מלמעלה, והנאתו היא רק מהתערובת של סוכר מלמעלה, אפשר דאין זה חשיב כדרך אכילתו. ולא תקשי ממה שכתב בשו"ת כתב סופר (או"ח קיא) שלכאורה משמע שם דמחייב כשאוכל ביוהכ"פ דברים שאינם ראויים, כשמתקנן על ידי שמערבן עם דברים מותרים, יש לומר דיוהכ"פ שאני דתלוי במיתבא דעתיה ולכן כשעירב עם דברים מתוקים הרי זה משביע וחשיב כדרך אכילתן, משא"כ בחמץ ונבלה. דוגמא לכך «מזון המלכות", אם ננקוט שהוא עצמו מר ואינו ראוי למאכל, שפיר חשיב שלא כדרך אכילה אף שיחד עם הדבש הכל טוב ויפה" (שלחן שלמה, רפואה ח"ב עמ' רא, ע' נשמת אדם או"ח תסו עמ' רסב).

י. בל יראה ובל ימצא בתרופות

מצד אחד מצאנו בהלכה שדבר שנתערב בו חמץ ואינו מאכל אדם כלל או שאינו מאכל כל אדם, כגון התריאק"ה וכיוצא בו, מותר לקיימו בפסח אף על פי שאסור לאוכלו (שו"ע או"ח תמב ד), מצד שני לא ברור אם ניתן לדמות תרופות שיש בהן טעם טוב, שלא נפסלו לאכילה, לתריאק"ה, ועל כן יש למוכרן לגוי במכירת חמץ. (וכן מפורש בחזו"א קטז ח לגבי טבליות שמעורב בהן קמח). ובשו"ת אור לציון (ח"ג ח א ובהערות) כתב שכל התרופות מותר להשהותן בבית ואין צריך לבערן או למוכרן לנכרי, מלבד תרופה שמעורב בה חמץ וראויה לאכילה לרוב בני אדם או תרופה שהיא חמץ ממש ללא תערובת וראויה לאכילת כלב. והנה רוב ככל התרופות אינן ראויות לאכילה לרוב בני אדם, והן רק תערובת חמץ, לכן מותרות בשהייה. ורק תרופה מתוקה שראויה לאדם צריך לבערה (או למוכרה) לפני הפסח. ואף אם רק הציפוי מתוק צריך לבערה אם היא חמץ. וסירופ מתוק יש

להסתפק אי חשיב ראוי לאדם או שאינו כל כך טעים עד כדי שבני אדם ישתו ממנו כדרך שתייה. ועל כל פנים, אם יש בו תערובת חמץ יבערנו מספק, עד כאן דבריו.

ואם צריך להשתמש בתרופה הראויה לאכילת אדם לחולה שיש בו סכנה או לילדים משום סכנה, יש לדאוג שלא תהא התרופה ברשותו, דהיינו שיפקיר אותה בשדה במקום שאינו משתמר או יתננה לנכרי במתנה גמורה, על מנת שלא לזכות בכל פעם אלא פחות מכזית אם די בכך. אם אירע שהוצרך לתרופה בימי הפסח, יקנה התרופה בבית מרקחת של נכרים, ואם אפשר ידאג שתיאכל התרופה קודם שישלם. ואם לוקח עמו את התרופה, יאמר שאינו זוכה בתרופה. ואם אפשר יקנה בכל פעם פחות מכזית (אור לציון ח״ג ח, ג).

שאלה: רופא המזהיר להאכיל תינוק מאכל רפואי שהוא בתערובת חמץ, היאך יתנהג האב. נראה שמוכר את אותו המאכל לנכרי, רק הרב שואל מהנכרי רשות, שאם צריך הילד לחמץ, אז הנכרי מוסר רשות להאכיל מחמצו להקטן, ולא יכתב כן בתוך השטר מכירה, שאז יש לחוש שיש בהמכירה תנאי או שיור, רק מוכרו לגמרי בלי שום תנאים, ומבקש רשות מהנכרי שקטן פלוני יוכל לאכול האוכל שלו אימתי שצריך, וראוי להחזיקו בחדר של נכרי שהושכר לו או ארון שלו. והאמא כשלוקחת המאכל הנ״ל מהחדר של נכרי להאכיל לתינוק תכוון להדיא שאין רצונה לקנותו כלל, רק מאכילה לילד משל נכרי, וכה״ג אין בל יראה, ואין צורך לבער, שאינו שלה. ואף שחז״ל הצריכו היכר במחיצה גם לחמץ של נכרי, מ״מ כשאי אפשר ובמקום חולי שאני (תשובות והנהגות ב׳ רכח).

יא. קטניות לחולה

גם למנהג האשכנזים להימנע מאכילת קטניות, פשוט שמותר לבשל קטניות לחולה אף שאין בו סכנה אם צריך לזה (משנ״ב תנג ס״ק ז, ע״ש). כל שכן שאין כל מקום לחומרא לתרופות העשויות מקטניות (ציץ אליעזר ח״י כה פרק), ובכללן קמח תירס (קורנפלור). לכן מותר לבשל אורז או קמח-תירס בשביל חולה שאין בו סכנה, בשביל ילד הסובל משלשול חזק או בשביל תינוק אשר משום מה זקוק לכך. ויש לברור את האורז לפני השימוש בו, כדי שלא יימצאו בו גרעיני תבואה. וכאשר בא לבשל ירתיח את המים תחילה, וייתן את האורז או את קמח-התירס לתוך המים הרותחים. ומן

הנכון שהנוהגים שלא לאכול קטניות בפסח ישתמשו בכלים מיוחדים לבישול תבשיל זה (שמירת שבת כהלכתה ח"א פ"מ אות צב).

כנזכר לעיל, אפילו מי שאיננו חולה ממש אלא סובל מכאב ראש או צינון מותר לו להשתמש בתרופות עם קטניות (שש"כ פ"מ פט).

יב. משחות

תערובת חמץ עוברים עליה משום בל יראה ובל ימצא, כגון אלו שנמנו במשנה, כותח הבבלי ושכר המדי וכיוצא באלו מדברים הנאכלים, אבל דבר שיש בו תערובת חמץ ואינו ראוי לאכילה לכל אדם, מותר לקיימו בפסח. ולכן הקילור והרטייה והאספלנית והתריאק"ה שנתן לתוכו חמץ מותר לקיימן בפסח שהרי נפסד מהם צורת החמץ (או"ח תמב א). ולא רק לעניין שהייה, אלא גם הנאה שאיננה אכילה מותרת בתערובת שנפסל בה החמץ מאכילת אדם, כשנעשתה התערובת קודם הפסח (משנ"ב שם סקכ"ב. בכלל הנאה – האכלת בעלי חיים).

ובדבר סיכת הגוף על חטטין, במשחה שמעורב בה אלכוהול חמץ שלא במקום חולי, כתב באג"מ (או"ח ח"ג סב) להיתר, שאף לדעת הסוברים סיכה כשתייה בכל האיסורים ובשאר מינים מלבד שמן, אין זה אמור אלא בסיכה של תענוג, כמו שכתב המחנ"א. ומצד איסור הנאה, כיוון שאינו מאכל אדם מותר בהנאה, כאשר המשחה נעשית קודם הפסח.

וכן לעניין סבונים ותמרוקים, כתב בשו"ת אור לציון (ח"ג ח, ו) שכיוון שאינם ראויים לאכילה כלל אין בהם חשש איסור חמץ בפסח ומותרים בשימוש בפסח ואינם צריכים הכשר. (וע' יחוה דעת ח"ד מג לגבי סבון שיש בו תערובת מן החי, שאין בו איסור כלל). ויש נוהגים להחמיר לכתחילה משום חומרא דחמץ.

יג. חמץ שעבר עליו הפסח

מותר להתרפא בחמץ שעבר עליו הפסח, אפילו לחולי שאין בו סכנה, שאינו אלא מדברי סופרים (שער הציון תסו סק"ד). ובכף החיים (שם אות ח) הביא מכמה פוסקים שלעניין אכילה אפשר שעשאוהו כשל תורה, ואין להתרפאות אלא במקום סכנה. [כמובן הוא מדבר בחמץ ממש וראוי לאכילה, לא בתרופות שאינן ראויות לאכילה].

יד. קטנים ותינוקות

קטן אוכל נבלות אין ב"ד מצווין להפרישו, אבל אביו מצווה לגעור בו להפרישו (מאיסור דאורייתא). ולהאכילו בידיים אסור אפילו דברים האסורים מדברי סופרים (אורח חיים סימן שמג ס"א). ואיסור האכלה זה הוא לכל אדם, והוא איסור תורה, הנלמד מ'לא תאכלום' האמור בשרצים, וקיבלו חז"ל דרצה לומר לא תאכילום לקטנים, וכיו"ב נאמר בדם ובטומאת כהנים, ומאלו למדו לכל התורה, שאסור להאכיל קטנים או לצוותם שיעברו [או לומר לגוי להאכילם. מג"א סק"ג]. ולכן אסור ליתן לתינוק, אפילו אינו בר הבנה כלל, דבר מאכל של איסור, אפילו לשחק בו, שמא יאכלנו, דהוי כמאכילו בידיים (משנ"ב שם סק"ד). ודעת הרשב"א והר"ן שאם התינוק צריך לכך מותר אפילו לספות לו בידיים דבר האסור מדרבנן, אך המחבר סתם לדינא כדעת החולקים האוסרים בכל גווני (ביאור הלכה שם ד"ה מד"ס).

אמנם אם התינוק צריך לכך, כגון שהוא קצת חולה [וכגון שהתינוק בוכה לאכול חמץ ואי אפשר לעוצרו. ערוך השלחן תנ, יד], מותר לומר לגוי להאכילו [וכתב ערוה"ש שם שאסור לומר לו להדיא ליתן חמץ אלא סתם להאכילו]. וכן נוהגים בפסח, שמצווים לעכו"ם לישא התינוק לביתו ולהשקותו חמץ או ייקח הוא את התינוק לבית הנכרי ויבקש מהנכרי שיאכיל את החמץ לתינוק שנחוץ לו לאכול ולשתות חמץ. וייזהר שלא ייקח היהודי בידו את החמץ, שזוכה בו. ואם התינוק חולה ואי אפשר לשאת אותו מחוץ לבית, יבקש מהעכו"ם שייתן לתינוק חמץ, והעכו"ם מביא חמץ לבית ומעמידו בבית והוה ליה חמצו של עכו"ם שאין עובר עליו [ואם אין התינוק חולה כל כך יישאנו לחוץ ולא יכניס החמץ לבית כלל. מג"א]. ויש לו לומר לעכו"ם שיאסוף החמץ הנשאר ויישאנו לביתו, וכשיצטרך לאכול עוד הפעם יחזור ויביאנו ויאכילנו (משנ"ב שמג סק"ה תנ סקי"ח). אם אין הנכרי רוצה ליתן לו בחינם, יכול להבטיחו שישלם לו אחר כך, דמותר מעיקר הדין וכנ"ל, אבל לא יתן לו מעות קודם או בשעה שנותן לו לאכול, דקונה החמץ בזה ואסור לכו"ע (משנ"ב תנ שם).

ואם אי אפשר למצוא נכרי בכל פעם ופעם שהקטן צריך לאכול, יש להקל שישאיר העכו"ם חמץ בביתו כדי שיספיק לתינוק לכמה פעמים, ויאמר בפירוש שאינו רוצה לקנות את החמץ [דאל"ה קני ליה רשותו], ויצווה לקטן שיאכיל את התינוק, אבל הוא בעצמו אין לו להאכילו, חדא דאסור

לכתחלה ליגע בו [וכדלעיל בסימן תמ"ו] ועוד משום לתא דקניין. ואם יכול להטמין החמץ במקום שמונח חמצו המכור, יטמינו שם, ויישא התינוק לשם לאכול. ואם לא, יעשה מחיצה עשרה בפני החמץ ועכ"פ יכפה עליו כלי (עפ"י משנ"ב שמג ותנ שם. וע' שולחן ערוך הרב או"ח תנ, כד כה, וכעין זה פסק הכף החיים שמג אות טז, תנ אות לח).

והטעם שבמקום צורך הקטן מותר לספות לו איסור, גם אם אין בדבר חשש סכנה [וכדמשמע בתשובת הרשב"א ח"א צב], נראה משום ששורש האיסור הוא בכך שמרגילו לאיסור, ולכן כשאיכא חינוך מצוה שרי, והכי נמי יש לומר דמשום הכי לא נאסר במקום חולי, דכהאי גוונא אינו כמרגילו לאיסור (תשובות והנהגות ח"ב רכח).

ואם יש חשש סכנה לתינוק, אין צריך לדקדק בכל זה כדי למהר באכילתו. ומכל מקום טוב לעשות מחיצה עשרה להפסיק כדי שלא יבא לאכול ממנו (משנ"ב תנ ס"ק יח). "ולכן אצלנו שיש הרבה יונקי שדים שמיום היוולדם מרגילים אותם בשריית פת צנומה שקורין סוחאריקע"ס מסולת חטה, ואם לא יתנו להם אף יום אחד יחלו וקרוב שימותו, מחויבים להכין בעדם צנומות אלו לפני הפסח ולהטמינן במקום מוצנע, ולייחד לזה כלי וכף מיוחדת, ובכל עת שצריך יערבו במים החמים או בחלב וליתן לתוך פיו, ולהיזהר בפירורים. ואם ביכולת על ידי א"י טוב יותר" (ערוך השולחן תנ יד).

"ובכאן ביוהנסבורג שמצויים נכרים, לכתחילה יש להאכילו ע"י נכרי שבזה אינו אלא משום שבות, דבמאכילו בידים הא יש לחוש לאיסור דלא תאכילום, וכן הא אסרו ליגע בחמץ בידיים בפסח שמא יבוא לאוכלו וכמש"כ בשו"ע סי' תמ"ו ס"ג וכ"כ במ"ב סימן ת"נ ס"ק י"ח, וכן כתב במ"ב סימן שמ"ג סק"ה שהמנהג בחולה להאכילו ע"י נכרי או כשאין נכרי ע"י קטן, (וכן בחולי קצת ג"כ מתיר ע"י נכרי ע"ש), וכן כתב שם שלכתחלה יש להאכילו ברשות הנכרי דוקא ע"ש, ובענייננו כשהוא חולה ויש חשש סכנה, אף דוודאי נדחה האיסור ד"לא תאכילום", אך מ"מ כשעכו"ם לפנינו עדיף שהוא יאכילנו, אבל כשאינו מזומן ממש לפנינו אין לדקדק בזה כי יש למהר ככל הנצרך להברותו וכמש"כ במ"ב שם (תשובות והנהגות כרך ב סימן רכח).

ועיין בשו"ת שבות יעקב (חלק ב' טו) שלא ייתן אדם חמץ לתינוק ביחיד, דילמא יטעה ויאכל ממנו, וכמו שאמרו גבי שבת לא יקרא לאור הנר ביחידי,

כל שכן בחמץ דלא בדילי מיניה כולא שתא, מה שאין כן בשניים דאדכורי
אהדדי יעו״ש (כף החיים תנ אות לז).

חולה במצוות הפסח

א. בדיקת חמץ

חולה שאינו יכול לבדוק את החמץ בביתו ימנה שליח לבדוק במקומו. וכשאין בעל הבית בודק כלל, השליח מברך, דהוי כשלוחו גם לענין הברכה (משנ"ב תלב סק"י. וכן פסקו בחזו"ע פסח עמ' מט ואור לציון ח"ג ז אות ג). אם בעל הבית עצמו משתתף בבדיקה, יעמיד את השליח או כמה מבני ביתו אצלו בשעה שהוא מברך, ויתפזרו לבדוק איש איש במקומו על סמך הברכה שבירך הוא (או"ח תלב ב). ויש לו על כל פנים לסייע לדבר כאשר הוא יכול, שמצוה בו יותר מבשלוחו (עפ"י משנ"ב סק"ח).

השוהה בבית חולים ציבורי אינו חייב לבדוק את חדרו, אלא בודק את ארונו האישי ואת חפציו, ויאמר את הנוסח של ביטול (חוט שני פסח פ"ד ס"ה, אבל לא יברך בכה"ג. תורת היולדת פ' מו הערה א). אולם מי שגר בבית אבות וכדומה ויש לו חדר משלו, יש לו לבדוק את חדרו בברכה, בדומה לשוכר או לשוהה בבית מלון.

בעל המתלווה לאשתו היולדת, או המתלווה לכל חולה אחר לבית חולים, בערב פסח בבוקר אל ישכח לבטל את החמץ בזמנו כפי הנוסח הרגיל, ועליהם לזכור לשרוף את חמצם. ואם אין להם זמן לשורפו יעשו שליח לשורפו (תורת היולדת מו אות ב). אם אין להם שליח לשרוף, יפקירו את החמץ במקום הפקר [ועכ"פ יפקירוהו באופן שאין אדם רואהו ואין חשש אכילה על ידי מאן דהו].

השוכב מחוסר הכרה בערב פסח, טוב למכור את חמצו על ידי אשתו או על ידי מי שמתעסק בצורכי הבית שלו, שהוא כאפוטרופוס המטפל בכל נכסיו (שלחן שלמה, ערכי רפואה ח"א עמ' קמד).

מי שלא בדק בליל י"ד יבדוק ביום י"ד באיזו שעה שיזכור. לא בדק כל יום י"ד, יבדוק בתוך הפסח. לא בדק בתוך הפסח, יבדוק לאחר הפסח, כדי שלא ייכשל בחמץ שעבר עליו הפסח שהוא אסור בהנאה. ועל הבדיקה שלאחר הפסח לא יברך (או"ח תלה א. ובזמננו שבנוסח המכירה מכלילים את כל

החמץ הנמצא ברשות, אין מברכים על הבדיקה בתוך הפסח, מפני שאינו עובר עליו בבל יראה. דברי הגאונים בשם סמא דחיי).

המוצא חמץ בביתו, אם הוא בחול המועד, יוציאנו מרשותו מיד ויבערנו. ואם הוא יום טוב, יכפה עליו כלי עד הלילה ואז יבערנו, לפי שאין יכול לטלטלו ביום טוב וגם לשורפו במקומו אסור (או"ח תמו א ומשנ"ב).

ב. תענית בכורות

נראה שהחש בראשו או בעיניו אין צריך להתענות תענית בכורות. ואף מי שהתענית קשה לו, ואחר התענית אינו יכול לאכול רק דברים קלים ובשיעור מועט מאד, וקרוב הדבר שעל ידי כך לא יוכל לקיים אכילת מצה ומרור ושתיית ד' כוסות כתיקונם, מוטב שלא להתענות כדי שיקיים מצות הלילה כתיקונם. ומ"מ בזה ובזה טוב יותר שיאכל רק מיני תרגימא (משנ"ב תע סק"ב, וכ"כ בכף החיים שם אות טו. והיינו כגון פירות וירקות או ביצה. ע' שעה"צ תעא אות ד) .

ג. מצוות הלילה והחייבים בהן

כתב הרמב"ם (חמץ ומצה פ"ו ה"א ופ"ז ה"א): מצות עשה מן התורה לאכול מצה בליל חמשה עשר שנאמר "בערב תאכלו מצות", בכל מקום ובכל זמן, ולא תלה אכילה זו בקרבן הפסח אלא זו מצוה בפני עצמה ומצותה כל הלילה, אבל בשאר הרגל אכילת מצה רשות, רצה אוכל מצה רצה אוכל אורז או דוחן או קליות או פירות, אבל בליל חמשה עשר בלבד חובה ומשאכל כזית יצא ידי חובתו.

מצות עשה של תורה לספר בנסים ונפלאות שנעשו לאבותינו במצרים בליל חמשה עשר בניסן, שנאמר "זכור את היום הזה אשר יצאתם ממצרים" כמו שנאמר "זכור את יום השבת", ומנין שבליל חמשה עשר תלמוד לומר "והגדת לבנך ביום ההוא לאמר בעבור זה, בשעה שיש מצה ומרור מונחים לפניך.

מצוה מן התורה לומר את ההגדה גם מי שלא יכול לאכול מצה או מרור משום חולי (פרי מגדים משבצות זהב ס' תפה, ע' חזו"ע פסח עמ' נג).

במידת הצורך אפשר לשמוע את ההגדה מפי אדם אחר, לצאת ידי חובה משום שומע כעונה. ודווקא בשמיעה אבל בהרהור אינו יוצא (עפ"י כף החיים תעג אות קלה, וע' משנ"ב שם ס"ק סד).

גם הנשים חייבות בארבע כוסות ובכל המצוות הנוהגות באותו הלילה (או"ח תעב יד), שאף שהן מצוות שהזמן גרמן חייבות שאף הן היו באותו הנס (משנ"ב שם ס"ק מד). ולכן החיוב גם על המשרתת שתשב אצל השולחן ותשמע כל ההגדה. ואם צריכות לצאת לחוץ לבשל, עכ"פ מחויבות לשמוע הקידוש וכשיגיע לרבן גמליאל אומר כל שלא אמר וכו' תיכנס ותשמע עד לאחר שתיית כוס שני, שהרי מי שלא אמר ג' דברים הללו לא יצא. ונוהגין שגם קוראין אותן שתשמענה סדר עשר מכות שהביא הקדוש ברוך הוא על מצרים, כדי להגיד להם כמה נסים עשה הקדוש ברוך הוא בשביל ישראל [ח"א] (משנ"ב תעג ס"ק סד; כף החיים שם אות קלו. וע' להלן בסמוך).

האשה יכולה מדינא להוציא את האיש בהגדה כשהוא שומע ממנה (ע' שו"ת אגרות משה או"ח ח"ה כ אות לג. ובפמ"ג (תעט בא"א סק"ב) פקפק בזה).

ד. קיצור ההגדה במקום הדחק

מי שזמנו דחוק ואינו יכול לשהות באמירת ההגדה אלא זמן מצומצם ביותר, יאמר את תחילת ההגדה, "עבדים היינו..." וכו', שהוא עיקר חיוב סיפור יציאת מצרים מן התורה (הליכות שלמה פסח פ"ט, לב, ומה שאמר רבן גמליאל כל שלא אמר שלשה דברים הללו בפסח לא יצא ידי חובתו, הכוונה למצוה מן המובחר, כמוש"כ הר"ן ועוד. ע"ש דבר הלכה אות סד). ואם יש שהות נוספת יאמר 'פסח מצה ומרור' ופירושיהם, ככתוב בהגדה (ע' משנ"ב תעג ס"ק סד).

חולה שאינו יכול לקיים כל מצוות ליל הסדר ינהג כפי יכולתו כדלקמן: ינסה לפחות לקדש על כוס של רביעית יין, ויקרא את הקטע "עבדים היינו" וכו' שהוא עיקר החיוב בסיפור יציאת מצרים שמצוותו מן התורה. ואם אפשר יוסיף גם את הקטע "רבן גמליאל היה אומר וכו'" שהוא מצוה מן המובחר. וכן, אם אפשר לו יברך ברכת "אשר גאלנו" וישתה כוס שני. אחרי כן יטול ידיו בברכה ויברך "המוציא" ו"על אכילת מצה" על שלוש מצות, ויאכל מצה כשיעור שני כזיתים, כל אחד ב'כדי אכילת פרס', אחד לשם

מצות מצה ואחד לשם אפיקומן, ובדיעבד די בכזית אחד בלבד, ישתה כוס שלישי יאמר הלל וישתה כוס רביעי (ע"פ נשמת אברהם או"ח ס' תעז).

ה. זמן מצוות הלילה

לא יאמר קידוש עד שתחשך, כלומר צאת הכוכבים ולא בין השמשות (אורח חיים תעב א ומשנ"ב. וכן לא בזמן התוספת. ע' תוס' פסחים צט ב). בדיעבד או בשעת הדחק מותר לקדש מבעוד יום משתשקע החמה, אולם סדר ליל פסח לא יתחיל אלא אחר צאת הכוכבים (חזו"ע פסח ח"ב עמ' ב). ובדיעבד אם קידש מבעוד יום [ויש אומרים אף לענין 'והגדת' ואכילת כרפס] יצא, אבל אכילת מצה ומרור דאיתקש לפסח אפילו בדיעבד לא יצא. שלחן גבוה אות ג', ויש חולקים (עפ"י כף החיים תעב אות ו, וע' בשו"ת חזו"ע ח"א א).

כזית הראשון שמברכין עליו על אכילת מצה, צריך ליזהר מאוד שלא לאחרו עד חצות, ובדיעבד אם איחר ולא אכל, יאכל אחר חצות אבל לא יברך 'על אכילת מצה' מחמת הספק. וגם מרור אף שהוא מדרבנן ייזהר לאוכלו קודם חצות, ואם איחר יאכלנו בלא ברכה (משנ"ב תעז ס"ק ו). עבר כל הלילה אין להן תשלומין (ע' מגן אברהם תפה סק"א; חזו"ע פסח עמ' פא).

היה מעונה או רעב, מותר לאכול אחר הקידוש פירות ואורז, אך לא ימלא כרסו מהם, שהרי צריך לאכול מצה ומרור לתיאבון (חזו"ע עמ' ל. וע' אור לציון ח"ג טו אות ז, והליכות שלמה פ"ט הערה סח).

מי שהוא רעב באמצע ההגדה, נחלקו הראשונים אם מותר לאכול באמצע ההגדה, ונחלקו גם הפוסקים האחרונים בדבר, החי"י והפר"ח נקטו להקל, וכן היקל הגר"ז (תעג יא) להלכה, ובמשנ"ב (בסק"ד ובשעה"צ אות ט) חושש להחמיר. ואם אדם רעב מערב פסח או שהוא בכור והתענה, אפשר להתיר לו לכתחילה בין כוס ראשון לשני (ובספר ויגד משה (טו אות יד) מביא בשם הגאון הצ' המפ' ר"ש רוזנברג מאונסדורף שהיה בכור ואכל מרק בין כוס ראשון לשני), ולאחר מזיגת כוס שני ובפרט אחרי שהתחיל כבר באמירת ההגדה יחמיר לכתחלה, אם לא לצורך הרבה והרעבון מפריע לו באמירת ההגדה כדאים גדולי פוסקים המתירים לסמוך עליהם להקל (שבט הלוי ח"ט קיח, והליכות שלמה שם).

ו. קושי באכילת מצה

חולה שאינו יכול לאכול אלא כזית מצה [או מי שאין לו מצה אלא כזית], יאכל תבשילו בלא 'המוציא' ואחר סעודתו יברך המוציא ועל אכילת מצה ויאכל אותו כזית. אבל אם אין לו גם כן יין, הרי צריך לקדש על המצה תחילה ואחר כך יאכל תבשילו (משנ"ב תפב סק"ו. וע' חזו"ע פסח עמ' עו). ואם יכול לאכול שני שיעורי כזית, יאכל אחד ב'המוציא' ואחד לאפיקומן (אור לציון ח"ג טו טו).

המהדר במצוות יש לו לאכול חמשה שיעורי כזית בליל הסדר, שניים ב'המוציא', אחד בכורך, ושניים באפיקומן. ומכל מקום יוצאים ידי חובה לכתחילה באכילת ארבעה שיעורי כזית, ולהסתפק בכזית אחד באפיקומן, ואכילת שני שיעורי כזית אינה אלא למצוה מן המובחר. ומי שקשה לו ואינו יכול גם בזה די בשלשה, אחד בהמוציא, אחד בכורך ואחד באפיקומן (אור לציון ח"ג טו, יד). ויש אומרים שאף לכתחילה, המסובים שאין לפניהם קערה ושלוש מצות די להם בכזית אחד באכילה הראשונה, אך יאכלו תחילה מעט ממצתו העליונה של בעל הבית למצוות 'לחם משנה' (הליכות שלמה עמ' רעז).

ומכל מקום, המרבה באכילת מצה בלילה זה הרי זה משובח, שכן בכל אכילה מקיים מצות עשה מן התורה. וראוי למעט בשאר מאכלים ותבשילים כדי לזכות באכילות נוספות של מצה (אור לציון ח"ג טו אות טו).

חולה שאסור לו לאכול כזית מצה פן יכבד עליו חוליו, אבל רשאי הוא לאכול פחות מכזית, עליו לאכול פחות מכזית כאשר יוכל שאת, אלא שלא יברך 'על אכילת מצה', שספק ברכות להקל. ואם יכול לאכול כשליש ביצה (18 גרם) שזהו שיעור הכזית לדעת הרי"ף והרמב"ם, ודאי שיש להורות לו שיאכל כשליש ביצה, אך גם בזה לא יברך עליו שסב"ל (חזו"ע ב עמ' עד. ולענין אכילה פחות מכזית, ע"ע אור לציון ח"א או"ח ל, תשובות והנהגות ח"ב רלב. ובאופן זה לא יברך על נטילת ידים. ואם צריך לברך על שאר האוכל בסעודה כשאוכל פחות מכזית פת, יש בזה ספק בפוסקים, ע' ש"ע או"ח קעז א ומשנ"ב שם סק"ג, כף החיים שם אות ד, שו"ת יביע אומר או"ח ח"י יז, אגרות משה או"ח ח"ד מא).

אך לדעת הגרש"ז אויערבאך זצ"ל שיעור כזית הוא 17 סמ"ק, ולדעתו של הגרי"ש אלישיב הוא ודאי יוצא באכילת 20 סמ"ק (ע' נשמת אברהם או"ח ס' תעה, הליכות שלמה עמ' ריד הערה 55).

חולה שאינו יכול לאכול כזית מצה (או מרור) בכדי אכילת פרס, שהוא פרק זמן של שתי דקות, ולכל היותר עד כארבע דקות, יאכל כמה שיכול, אבל לא יברך ברכת "על אכילת מצה", וישתדל לאכול את הכזית לפחות תוך תשע דקות. ומכל מקום לא יברך ברכת המזון אלא אם כן אכל כזית תוך ארבע דקות או פחות (שש"כ פ"מ אות צג. ולילד קטן יש להקל עד תשע דקות. שם פ' נד הערה קל בשם הגרשז"א). ויש מקילים לזקן או חולה שקשה להם לאכול מהר, באכילת כזית בתוך שש שבע דקות, ולכל היותר עד תשע דקות (ע' אור לציון ח"ג טו יג, ובחזו"ע עמ' סו כתב כשש עד שבע דקות וחצי, וע' תורת היולדת מו ז שאם אוכלת עד תשע דקות שלא תברך ברכת "על אכילת מצה"). ומחשבים את הזמן הזה מרגע הבליעה הראשונה ואין הלעיסה בכלל חשבון הזמן (אור לציון שם).

יוצא אדם ידי חובתו במצה שרויה, והוא שלא נימוחה [עד שנעשית נוזלית הראויה לגמיעה. ביאור הלכה], אבל אם בישלה אינו יוצא בה (או"ח תסא ד). והיינו בדיעבד, ולזקן ולחולה שקשה להם לאכול מצה יבשה מותר אפילו לכתחילה לשרות המצה במים [ובשעת הצורך, אף במים חמים שאין היד סולדת בהם. שש"כ פ"מ צג], אך צריך ליזהר שלא יהיה שרוי מעת לעת, דכבוש כמבושל (משנ"ב ס"ק יז).

ויש עוד עצה למי שקשה לו לאכול מצה יבשה, שיאכל מצה מפוררת, אף שהיא כקמח, ומברכים עליה 'המוציא' ו'על אכילת מצה', ובלבד שיאכל כזית (ביאור הלכה שם ד"ה יוצא. וכתבו פוסקים שמצה מפוררת עדיפה על מצה שרויה. עפ"י בנין ציון כט ובשם החזו"א. וע' חזו"ע פסח עמ' עג). ובמקום הצורך אפשר גם לשתות מים אחר הפירורים כדי להקל על בליעתם (אור לציון ח,ג טו טז. וע' חזו"א פסח עמ' עב). וכן יעשה מי שאין לו שיניים, יפורר את המצה ויבלע, שהלכה היא בלע מצה יצא [בדיעבד, אף על פי שלא לעסה ולא הרגיש טעם מצה], בלע מרור לא יצא (או"ח תעה ג ומשנ"ב).

ולשרות המצה בשאר משקין, מי פירות או מרק, יש דעות בין הפוסקים, י"א שאסור לפי שהן מפיגין את טעם המצה, שנותנים בה טעם שלהם, וי"א

שדווקא ע"י בישול מפיג טעם מצה ולא על ידי שרייה. על כן זקן או חולה שאי אפשר לו לאכול מצה השרויה במים, מותר לו לשרותה ביין או בשאר משקין, אבל שאר כל אדם שאכל מצה השרויה בשאר משקין חוץ ממים לא יצא י"ח, וצריך לחזור ולאכול מצה אחרת, בין הכזית של ברכת מצה בין הכזית של אפיקומן. וכל זה דוקא כששורה את המצה בהן, אבל להטביל אותה בהן כתב רבנו מנוח בפשיטות שמותר, שבזה לא נתבטל טעם מצה (משנ"ב תסא סקי"ח).

ז. מי שאכילת מצה מזיקה לבריאותו

"חולה שהזהירו אותו הרופאים מומחים שלא יאכל מצה ומרור כלל בלילי פסח, שאם יאכל יהיה בסכנה גדולה, והחולה רוצה להחמיר על עצמו ולסכן את עצמו, אם יברך על אכילתו או לא, פשיטא מלתא דעל זה נאמר אל תצדק הרבה למה תשומם, ולא זה (בלבד) שחסיד שוטה הוא אלא דאיסורא עביד דכתיב אלה המצות וכו' וחי בהם ולא שימות בהם, ומזה ילפינן אין לך דבר שעומד בפני פיקוח נפש וכו' לעבור גם בקום ועשה עבירה בידים, מכל שכן לעבור על מצות עשה בשב ואל תעשה דקיל, וממילא אם אוכל מכל מקום אין זה מברך אלא מנאץ דאיך יאמר וציונו ותורה אמרה ונשמרתם מאד לנפשותיכם, וכן וחי בהם וכו' וגם אין לך מצוה הבאה בעבירה גדולה מזו (יהודה יעלה ח"א קס. וע' שו"ת מהר"ם שיק או"ח רס).

מי שהרופאים קבעו לו שאכילת המצה מזיקה לבריאותו, ועלולה להביאו לידי חולי, אפילו אין בו סכנה, לא יאכל מצה כלל, ואף אם רצה להחמיר על עצמו אין לו לברך "על אכילת מצה". אבל אם הרופאים מסתפקים אם יחלה וייפול למשכב מחמת אכילת מצה אם לאו, יאכל כזית מצה בברכה, ושומר מצוה לא ידע דבר רע. וברור מאוד שכל זה כשאין חשש סכנה כלל (חזו"ע עמ' עו, וע' שו"ת בנין שלמה מז).

אם החולה אומר שהמצה תזיק לו והרופא אומר שלא תזיק, סומכים על הרופא, שהכלל "לב יודע מרת נפשו" שייך רק לגבי מצב של רעבון ולא לגבי מצבים אחרים (שרידי אש ח"ב לג).

מי שרגיש לדגן מחטה, ויוכל לבוא לידי חולי מאכילתו, יכול לקיים מצות אכילת מצה בדגן של שבולת שועל (כן הסכמת גדולי הפוסקים שבדורנו, שהקוואקר הוא השיבולת-שועל שמנו חכמים במיני דגן. ע' נשמת אברהם

או"ח תסא בשם הגר"מ פיינשטין הגרש"ז אויערבך והגרי"ש אלישיב שאין לפקפק במסורת זו המקובלת בישראל מזה דורות, חזו"ע פסח ח"ב עמ' עו, שש"כ מ הערה צג, תשובות והנהגות ח"ה קל).

ח. קושי בשתיית יין

מי שאינו שותה יין מפני שהיין מזיקו או שהוא שונאו, צריך לדחוק עצמו ולשתות, לקיים מצות ארבע כוסות (או"ח תעב י). והיינו שמצטער בשתייתו וכואב בראשו מזה, אבל אין בכלל זה כשייפול למשכב, שאין זה דרך חירות (משנ"ב ס"ק לה ושער הציון שם. ואינו רשאי להחמיר. חזון עובדיה עמ' יד).

ואדם זה המצטער מיין יכול לשתות מיץ ענבים או חמר מדינה (משנ"ב תעב סקל"ז). אמנם לעניין חמר מדינה, כיוון שיש בזה דעות בין הפוסקים, נראה שהכל תלוי לפי שעת הדחק. ואין לברך 'שהכל' על כל כוס וכוס כי אם על כוס ראשון וברכת המזון (עפ"י שער הציון תפג אות ח, הליכות שלמה עמ' רכו רכט. וע' בכף החיים תעב אות פז, ועי"ש אות עד וחזו"ע עמ' יד לעניין שריית מי צימוקים).

ובשעת הדחק כתבו כמה מפוסקי הדור האחרון שאפשר לצאת במיץ הדרים סחוט, אשכוליות או תפוזים (או בקפה). ומ"מ יש אומרים שאת הקידוש יאמר מי ששותה יין (ע' חוט שני יט, יא, הליכות שלמה פ"ט הערה 109, תשובות והנהגות ח"ג קלו).

שיעור הכוס, רביעית הלוג [שהוא 86 סמ"ק, וי"א 81 סמ"ק חזו"ע ברכות עמ' רנט, ול'שיטת חזו"א' כ150 סמ"ק], ולכתחילה ישתה כל הכוס, ובדיעבד אם שתה רובו יצא (או"ח תעב ט ומשנ"ב). אולם אם לא שתה אף פעם רביעית אלא בהפסקות ארוכות, יסמוך בברכה אחרונה על המסובים האחרים (וע' משנ"ב ריג ס"ק ט).

חולה סוכרת יכול לצאת ידי חובתו בשתיית ארבע כוסות של מיץ ענבים. בכל 100 סמ"ק מיץ ענבים יש פחות מ- 70 קלוריות. לכן יכול לצאת ידי חובתו אם הוא שותה 3 כוסות הראשונות רוב רביעית כל אחת, והאחרונה רביעית שלם. יוצא שאם הוא שותה 45 סמ"ק כל פעם (דהיינו רובו של 86 סמ"ק) בשלוש הכוסות הראשונות, ו-90 סמ"ק לכוס הרביעי, הכל יסתכם בכ-160 קלוריות. וכתב לי מו"ר הגרי"י נויבירט שליט"א: הייתי מציע שגם

בכוס הרביעי ישתה רק כמלוא לוגמיו, וכנ"ל בשאר כוסות, ולגבי ברכה אחרונה לסמוך על מה שמוציאים אותו ידי חובתו המסובין עמו, עיין סי' ריג מ"ב ס"ק ט, עכ"ל. ומכיוון שגם חייב לאכול כמה כזיתים של מצה (בכל מצה מכונה יש כ-100 קלוריות), יאכל פחות קלוריות מהרגיל בתוך הסעודה (כגון תפוחי אדמה, אורז, וכו'). כל זה בחולה שמטופל ע"י דיאטה או כדורים או מנה אחת או שתיים של אינסולין ליום (במנות קבועות מראש). אך חולה שמזריק לעצמו זריקות מרובות של אינסולין או מקבל אינסולין בדרך משאבה, ולכן בודק את רמת הסוכר בדם כמה פעמים ביום ולפי זה מווסת את מינון של כל זריקה וזריקה, יכול לאכול את המצה ולשתות את המיץ ענבים כרגיל ויצטרך להזריק כמות קצת יותר גדולה של אינסולין בלילה לפי רמת הסוכר (נשמת אברהם או"ח תעב. יש ממליצים לחולים אלו לצרוך יין יבש או חצי יבש ולמהול אותו במים, ובכך להפחית מכמות הסוכר. ועי' מגן אברהם (תעב סקי"ב) שרשאים למזוג היין היטב כל זמן שראוי לקידוש. וע' 'כאיל תערוג' מועדים עמ' ע, שהגראי"ל שטינמן היה מוזג רוב כוס יין [ביתי, שאיננו מזוג במים] והשאר מערבו במים).

חולה סוכרת שאסור גם ביין יבש, פטור לגמרי משתיית ארבע כוסות. וכן מי שיש לו לחץ דם גבוה, אם הוא באופן שאסור בכל סוג יין, פטור מחובת ארבע כוסות (אור לציון ח"ג טו אות ד בהערות). ואם הוא לבדו – יקדש על המצה (חזו"ע עמ' יד ועוד. וע' כה"ח תעב אות עד, שמי שצריך לקדש ולהוציא אחרים, יקדש ויטעם מעט וייתן לאחרים לשתות).

כתבו כמה פוסקים שראוי לחוש שמיץ ענבים שלנו אין למהול אותו במים (ע' תשובות והנהגות ח"ה עז, מנחת שלמה ח"א ד. אך ע' אור לציון ח"ב פ"כ יח בהערות).

אם יכול לשתות כוס אחת יין בלבד, או שאין לו יין אלא כדי כוס אחת [והוא הדין שאר משקין אם הם חמר מדינה, לפי מה שמסיק הרמ"א], יקדש עליו ולא יקדש על הפת. ואף אם דרכו בשאר שבתות וימים טובים לקדש על הפת, בלילה זה כשתיקנו חכמים ארבע כוסות תיקנו לקדש על היין ולא על הפת. ואם יש לו שתי כוסות, יקדש על הראשון ואחר כך יאמר ההגדה בלא כוס, וברכת המזון יברך על כוס השני, ובכך יצא בזה גם דעת הסוברים שבהמ"ז טעונה כוס. ואם יש לו שלוש כוסות, מקדש על אחת

ואומר הגדה על אחת וברכת המזון על אחת, וחצי הלל שאחר בהמ"ז יאמר בלא כוס (משנ"ב תפג סק"א).

אף מי שאינו יודע לומר ההגדה וההלל, ואין לו מי שיכול להוציאו ידי חובה, חייב במצות ארבע כוסות, אף שאינו שותה כסדר שתיקנו חכמים. ומכל מקום צריך שישהה בין כוס לכוס כשיעור שתיית רביעית (חזו"ע עמ' טו. ובאופן זה לא יברך על כוס שנייה ושלישית, שהרי לדעת רוב הפוסקים לא יצא ידי חובתו). אולם אם יכול לומר הגדה, ושתה שלא על הסדר לא יצא ידי חובתו וחייב לשתות שוב על הסדר (או"ח תעב ח ומשנ"ב).

ט. קושי באכילת מרור

מי שהוא חולה או איסטניס מותר לו ליקח מאיזה מין מרור שערב עליו ביותר, וגם יאכל הכזית מעט מעט בכדי שיעור אכילת פרס, דמעיקר הדין יוצא בזה, ואם גם זה אי אפשר לו מפני בריאותו, עכ"פ יאכל מעט או ילעוס בפיו לזכר טעם מרירות אך לא יברך על זה (משנ"ב תעג ס"ק מג).

ואף שקשה עליו אכילת המרור, צריך לדחוק את עצמו ולאכול כזית. ואם אינו יכול לאכול כזית בשום אופן, וחושש מאוד שיחלה וייפול למשכב על ידי זה, מצוה שיאכל מעט למצוה, אבל לא יברך עליו "על אכילת מרור", שאין אכילה פחות מכזית. וישמע הברכה מאחרים ויכוון לצאת ידי חובה. ואם הרופאים חוששים שאם יאכל מרור שמא יבא לידי חולי וייפול למשכב, לא יאכל, דספק דרבנן לקולא, ואפילו אם ירצה להחמיר ולאכול מרור לא יברך. ואם הרופאים אומרים לחולה שאם יאכל מרור נשקפת סכנה לחייו, אסור לו בהחלט להחמיר על עצמו ולאכול מרור (חזו"ע עמ' צט).

מי שקשה לו לאכול כזית מרור בכריכה, רשאי להקל וליקח ל'כורך' כל שהוא מרור. ואם קשה עליו הדבר מאוד, רשאי שלא לאכול הכריכה כלל, כיוון שאין הכריכה אלא לזכר בעלמא (חזו"ע עמ' קב).

י. אכל והקיא

מי שאכל מצה ומרור ושתה יין והקיא, אינו צריך לאכול ולשתות שוב (מנחת חינוך מצוה י כא, תורה לשמה קכה, הליכות שלמה עמ' ש). ומכל מקום אינו יכול לברך ברכת המזון עד שיאכל שוב (שו"ת פנים מאירות

ח"א כז. על כן אם יכול יאכל כזית מצה כדי שיברך ברכת המזון וישתה כוס שלישי עליה כוס שלישי. תורה לשמה שם).

יא. אכילה ושתייה דרך זונדה

אכילה דרך זונדה אינה נחשבת כאכילה, על כן אין בזה איסור אכילה ביום כיפור (ע' שו"ת מהרש"ם ח"א קכד, אחיעזר חלק ג סא). והוא הדין לגבי אכילת חמץ בפסח, אולם יש איסור הנאה ובל יראה ובל ימצא.

על כן חולה שאינו יכול לשתות ארבע כוסות אלא דרך זונדה, לכאורה שתייה כזו לא שמה שתייה ולא קיים בזה כל מצוה (חשוקי חמד פסחים דף קז ע"א).

יב. הסבה

מי שיש לו מכה בזרוע שמאל בעניין שאינו יכול להסב על צד שמאל, נראה שבכגון זה פטור מהסיבה, שלא תיקנו חז"ל הסיבה אלא דרך חירות ודרך תענוג ולא דרך צער, ר"ל כשיבוא לידי צער. ועוד, בנידון כזה ודאי סמכינן אראבי"ה (כף החיים תעב אות כב).

חולה או זקן שקשה עליהם להסב, יש לו למצוא עצה ודרך היאך להסב, אך אם אין לו עצה והוא רק מצטער בהסיבה הרי הוא פטור מן ההסיבה כיוון שלא יכול לקיימו (חוט שני פי"ז ה).

יג. משמשי החולה

רופא או מיילדת המטפלים בחולה או ביולדת בליל פסח, וכן האחיות וכל מי שמשמש חולה שיש בו סכנה, אין להם לעזוב את החולה כדי לקיים מצות מצה או שאר מצוות הלילה, כשהיולדת או החולה זקוקים להם ואין להם מחליף. ואם רוצים לאכול כזית מצה תוך כדי עבודתם אל יברכו עליה (תורת היולדת פ' מו אות יב כמבואר בשעה"צ סימן תע"ה ל"ט. ולכאורה ה"ה בכל חולה אם החולה זקוק לו).

יד. אכילה ושתייה אחר הסדר

אחר ארבע כוסות אינו רשאי לשתות יין אלא מים. ובשאר משקים נחלקו הפוסקים. ובמקום צורך גדול יש לסמוך על המתירים לשתות שאר משקין שאין משכרין, ובפרט בליל שני, בוודאי יש להקל בשאר משקין שאינם משכרין (או"ח תפא א ומשנ"ב סק"א).

מי שער בלילה ונצרך לאכול אחר חצות, יש מקילים להתנות כשאוכל האפיקומן קודם חצות, שאם להלכה זמן אכילת מצה אינו אלא עד חצות, אזי תהיה זו אכילת אפיקומן, ואם ההלכה שזמנה כל הלילה, תהיה אכילה זו כאכילת מצה סתמית. ובתנאי זה יוכל לאכול אחר חצות, ובסוף אכילותיו שבמשך הלילה יאכל שוב כזית מצה לאפיקומן (ע' נשמת אברהם או"ח תעז – עפ"י אבני נזר או"ח שפא. ומדברי הגרשז"א נראה שאינו חייב לאכול שוב מצה לאפיקומן בסוף הלילה, שבשעת הצורך, כגון אח ואחות הצריכים להיות עירניים במשך הלילה, אפשר לסמוך על הפוסקים כראב"ע שזמן אכילת מצה הוא עד חצות. ע' הליכות שלמה עמ' שט-שי).

Dedicated and in
Appreciation of

RAMI AND DALIA KANZEN FAMILY

May Hashem grant them
continued strength, health
and nachat for many years to
come.

Dedicated and in
Appreciation of

MR & MRS AVI COHEN AND FAMILY

May Hashem grant them
continued strength, health
and nachat for many years to
come.

Dedicated and in
Appreciation of

MR & MRS SIMON LOUSKY AND FAMILY

May Hashem grant them
continued strength, health
and nachat for many years to
come.

Dedicated and in Appreciation of

Mr & Mrs Nachman Behar and Family

Mr & Mrs David Mansoor and Family

May Hashem grant them continued strength, health and nachat for many years to come.

Dedicated and in
Appreciation of

Mr Ronnie Hanan and Family

May Hashem grant them
continued strength, health
and nachat for many years to
come.

Dedicated and in
Appreciation of

MR & MRS EYTAN SMITH AND FAMILY

May Hashem grant them
continued strength, health
and nachat for many years to
come.

42823088R00024